Princesas Perfectas

La princesa Rosada manda en la escuela

Alyssa Crowne

Ilustrado por Charlotte Alder

Scholastic Inc.

New York   Toronto   London   Auckland
Sydney   Mexico City   New Delhi   Hong Kong

A Susan,

que me dio la llave mágica que
abrió el corazón de esta historia.

Originally published in English as *Perfectly Princess: Pink Princess Rules the School*

Translated by María Cristina Chang

No part of this publication may be reproduced, stored in a retrieval system, or transmitted in any form or by any means, electronic, mechanical, photocopying, recording, or otherwise, without written permission of the publisher. For information regarding permission, write to Scholastic Inc., Attention: Permissions Department, 557 Broadway, New York, NY 10012.

ISBN 978-0-545-23985-1

12 11 10 9 8 7 6 5 4 3 2 1   10 11 12 13 14 15/0

Printed in the U.S.A.   40

Designed by Kevin Callahan
First Spanish printing, September 2010

Índice

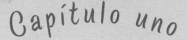

Capítulo uno

Un regalo para una princesa

Julieta marchaba alrededor de su habitación rosada. Tomó a su muñeca preferida, la princesa Allissa, y la alzó por encima de su cabeza. La princesa Allissa y Julieta tenían el cabello largo y rubio y los ojos azules. La princesa Allissa llevaba puesto un vestido rosado y Julieta llevaba una camisa y unos pantalones rosados.

Julieta se paró en frente de la fila de peluches y muñecas que tenía en su librero y comenzó a hablar con voz de princesa.

—Hola, mis fieles súbditos —dijo Julieta muy seria mientras movía la cabeza de la princesa Allissa.

Los fieles súbditos eran un osito, una rana de peluche y un hada.

—Tengo un... un...

Julieta sabía que había una palabra que significaba que una princesa tenía algo importante que decir, pero no podía recordarla.

—Tengo algo que decirles —dijo—. De ahora en adelante, ¡todo en nuestro reino será rosado!

Julieta corrió hacia el librero y agarró al osito.

—¡Hurra! ¡Me encanta el rosado! —dijo Julieta poniendo voz de oso.

Luego, tomó a la rana.

—¡El rosado es el mejor color del mundo! —dijo la rana croando.

—¡La princesa Allissa es una gran

De
rosado

princesa! —dijo el hada.

—¡Gracias, gracias! —dijo la princesa Allissa mientras Julieta la ayudaba a hacer una reverencia.

De repente, la mamá de Julieta la llamó desde la cocina.

—Julieta, por favor, ven acá —dijo su mamá.

Julieta puso a la princesa Allissa en su castillo de juguete y corrió escaleras abajo.

—Mamá —dijo—, ¿cuál es la palabra que se usa cuando una princesa va a decir algo importante?

La mamá de Julieta arrugó la nariz. Siempre hacía lo mismo cuando pensaba en algo importante.

—¿Te refieres a un decreto real? —preguntó.

Julieta asintió.

—¡Eso es! Un decreto real. ¡Gracias!

—dijo y comenzó a subir las escaleras, pero su mamá la detuvo.

—Julieta, llegó un paquete para ti —dijo su mamá—. Es de tu tía Maxine.

—¿Para mí? —preguntó Julieta.

La niña corrió hacia la mesa de la cocina para ver la caja. La etiqueta decía *Julieta Henry*. ¡Era un paquete para ella!

Julieta trató de abrir la caja, pero estaba cerrada con cinta adhesiva.

—Yo te ayudaré —dijo su mamá.

La Sra. Henry cortó la cinta adhesiva con una tijera. Julieta saltaba a su lado ansiosa de que su mamá terminara.

Adentro de la caja, había otra caja envuelta en papel rosado que traía una tarjeta pegada.

—¡Es un regalo! —gritó Julieta.

—Tu tía Maxine se adelantó —dijo su mamá—. Todavía faltan dos semanas para tu cumpleaños.

—No importa —dijo Julieta mientras rompía el papel rosado.

—¡Julieta, primero la tarjeta, por favor! —dijo su mamá.

Julieta puso mala cara. Los papás siempre quieren que uno lea primero las tarjetas mientras uno se muere de ganas de abrir un regalo.

La tarjeta tenía un gran número 7 y mucho brillo. Al abrirla, Julieta vio el mensaje de su tía Maxine. La niña lo leyó en voz alta.

Querida princesa Julieta:
No podré ir a tu fiesta de cumpleaños, pero aquí te envío este regalo que podrás usar en la fiesta. Espero que te guste.
¡Muchas felicidades!
Con mucho cariño,
Tía Maxine

—¡Es algo para la fiesta! —dijo Julieta, y siguió rompiendo el papel rosado—. ¿Qué será?

Lo que estaba envuelto en el papel era una caja blanca. Julieta quitó la tapa y se quedó boquiabierta.

—¡Es una corona! —gritó.

Julieta tomó la corona en sus manos. Era dorada, con muchas gemas rosadas alrededor y pesaba como una corona de verdad.

—Se parece a la corona de la princesa Allissa —dijo.

—Combina perfectamente con tu vestido rosado —agregó su mamá—. Por cierto, Julieta, he estado pensando en tu fiesta. El año pasado invitaste a todos los chicos y las chicas de tu clase. ¿Estás segura de que no quieres invitar a los chicos este año?

—¡Será solo para chicas! —dijo Julieta

con firmeza—. No puedes tener chicos en una fiesta de princesa. ¡No tendría sentido!

Julieta corrió hacia el espejo del pasillo y se puso la corona en la cabeza. Era la corona más hermosa del mundo.

—Princesa Julieta —susurró.

La mamá de Julieta le dio un beso en la mejilla.

—Pareces una verdadera princesa. Ahora vamos a poner la corona en la caja. Debemos guardarla hasta el día de la fiesta —dijo.

Pero Julieta se llevó las manos a la cabeza y mantuvo firme la corona.

—¡Oh, no! —dijo—. No podemos guardarla. Me la voy a poner el lunes para ir a la escuela.

Capítulo dos

Problemas en el autobús

El lunes en la mañana, Julieta se alistó para ir a la escuela. Se puso sus pantalones favoritos, que tenían flores rosadas en los bolsillos, su blusa blanca con flores que combinaban con las de los pantalones y sus zapatos rosados. Y, finalmente, se puso la corona dorada en la cabeza.

—Julieta, ¿estás segura de que quieres llevarla a la escuela? —preguntó su mamá con el ceño fruncido.

Los papás de Julieta se estaban preparando

para ir al trabajo. La mamá de Julieta trabajaba en una oficina. Siempre usaba chaqueta, falda y un hermoso collar de perlas. El papá de Julieta era cocinero. Usaba una chaquetilla blanca y unos pantalones negros con rayas blancas.

El Sr. Henry empezó a guardar el almuerzo de Julieta en su lonchera rosada.

—La corona te queda preciosa —dijo.

—Es cierto —dijo su mamá—. Pero no creo que la escuela sea el mejor lugar para usarla.

—¿Por qué no? —preguntó Julieta—. Jonathan siempre lleva una gorra de béisbol.

—Lo sé, pero… —dijo su mamá.

La Sra. Henry miró el reloj.

—Ay, voy a llegar tarde. Que pases un buen día, cariño —dijo, le dio un beso a Julieta en la mejilla y corrió hacia la puerta.

El papá de Julieta le puso la mochila en la espalda a Julieta.

—Ahí viene el autobús. Lo puedo escuchar —dijo—. Nos vemos más tarde, Princesa.

—¡Adiós, papá! —dijo Julieta mientras corría hacia la puerta.

El autobús escolar se estacionó en frente de la casa de Julieta. Su puerta chirrió al abrirse y Julieta subió. Los niños y las niñas estaban conversando y riendo. El autobús estaba casi lleno.

Julieta no tenía que preocuparse por conseguir un asiento porque siempre se sentaba al lado de su mejor amiga, Olivia.

—¡Ay, Julieta, me encanta tu corona! —dijo Olivia.

Olivia llevaba su cabello castaño brillante

hasta la barbilla. Hoy, llevaba puesta una camiseta verde con un monito.

Julieta se sentó.

—Gracias —dijo—. Mi tía Maxine me la regaló por mi cumpleaños.

Billy Walker se inclinó hacia las chicas.

—¿Qué llevas en la cabeza, Julieta? —preguntó—. ¿Un casco de extraterrestre?

—Por supuesto que no —respondió Julieta con su voz de alteza real—. Es una corona de princesa.

—¡Ja! —se rió Billy—. No puedes llevar una corona de princesa a la escuela.

Julieta se volteó hacia el asiento de Billy. Jonathan Kim, el amigo de Billy, estaba sentado a su lado con su gorra roja de béisbol puesta, como siempre. A Julieta le caía bien Jonathan y no podía entender por qué era amigo de un chico tan antipático como Billy.

—Jonathan lleva puesta una gorra de béisbol —dijo—. Si él puede llevar una gorra,

entonces yo puedo llevar una corona.

—Jonathan juega béisbol —contestó
Billy—. Así que tiene todo el derecho de
llevar esa gorra, pero tú no eres una princesa
de verdad.

—¿Cómo sabes que no soy una princesa?
—preguntó Julieta.

A veces, Julieta pensaba que quizás fuera
una princesa de verdad. Siempre sucedía así
en los cuentos de hadas. Las chicas crecían en

hogares normales y corrientes y, de repente, *¡pum!* Un hada madrina aparecía y les decía que eran princesas.

Olivia se unió a la conversación.

—Julieta puede llevar una corona si ella quiere —dijo.

—No, no puede —dijo Billy—. Una corona es un disfraz. Y uno solo se disfraza en Halloween.

—*No* es un disfraz —dijo Julieta un poco molesta—. Es un accesorio de moda.

Billy hizo una mueca.

—Las chicas son superextrañas —le dijo a Jonathan.

Julieta se enderezó en su asiento y cruzó los brazos. ¡Estaba muy enojada con Billy Walker!

—Es un antipático —susurró Olivia.

—No es un antipático —dijo Julieta—. Lo que pasa es que está celoso. Estoy segura de que él desearía tener una corona tan hermosa como la mía.

Capítulo tres

El decreto de la princesa Julieta

Todas las chicas de su clase estaban alborotadas por la corona. Julieta dejó que se la probaran mientras esperaban en la fila para entrar en la escuela.

—Me la regalaron para mi fiesta de princesa —explicó Julieta—. Están todas invitadas.

—¿Estoy invitado? —preguntó Billy, e intentó arrebatarle la corona de las manos a Julieta.

Julieta se la quitó y volvió a ponérsela.

—¡No, no estás invitado! —dijo ella—. ¡No se permiten chicos, especialmente tú!

Billy hizo una mueca. La campana sonó y todos los niños entraron en el salón. La maestra, la Sra. Masters, los estaba esperando.

Julieta pensaba que la Sra. Masters era la mejor maestra del mundo. Le recordaba a un hada madrina. Su cabello plateado era muy rizado. Le gustaba usar joyas brillantes y Julieta sabía que a ella le encantaría su corona.

Y tuvo razón.

—Qué corona tan bonita llevas puesta, Julieta —dijo la Sra. Masters.

—¡Muchas gracias! —respondió Julieta con una gran sonrisa.

Un rato después, a Julieta se le olvidó que llevaba puesta la corona. El día comenzó con la hora de contar cuentos. La Sra. Masters leyó un cuento muy divertido sobre un perro. Luego, los chicos aprendieron a deletrear las

16

palabras nuevas de esa semana.

Después del recreo, llegó la hora de estudiar el mapa. La Sra. Masters tenía un gran mapa en el salón. Todos los lunes hablaba sobre un lugar diferente. Los chicos también podían señalar y hablar de un lugar determinado en el mapa.

—¿Alguien quiere acercarse al mapa? —preguntó la Sra. Masters.

Julieta levantó la mano.

—Sí, Julieta —dijo la Sra. Masters.

Julieta se sentaba al final del salón. Le gustaba sentarse atrás porque cada vez que le tocaba ir al pizarrón, caminaba entre las hileras de pupitres imaginándose que era una verdadera princesa a quien sus súbditos aplaudían y vitoreaban a su paso. Julieta caminaba con la espalda derecha, como toda una princesa.

—Lleva un casco de extraterrestre —gritó Billy.

Los chicos de la clase se echaron a reír.

La cara de Julieta se puso roja… Sus súbditos no entendían nada.

—Billy, no vuelvas a decir eso —dijo la Sra. Masters molesta—. Julieta, por favor, continúa.

Julieta apuntó hacia un lugar en el mapa.

—Este es el estado de California. Ahí vive mi tía Maxine —dijo Julieta—. Ella fue la que me envió la corona que llevo puesta.

—Yo tengo un amigo que vive en

el desierto de California —dijo la Sra. Masters—. En ese lugar hace mucho calor.

Julieta regresó a su asiento. Se aseguró de no mirar a Billy, que seguía riéndose cuando ella pasó por su lado.

A la hora del almuerzo, Julieta y las chicas de su clase se sentaron juntas en una mesa grande de la cafetería. Algunas de ellas traían su almuerzo de la casa, como Julieta, otras comían el almuerzo de la cafetería. Los chicos se sentaron en una mesa justo al lado de ellas.

Las chicas no paraban de hablar de la fiesta de cumpleaños de Julieta.

—¿Qué te vas a poner, Julieta? —preguntó Hannah, que tenía el cabello castaño y muy largo.

—Seguro se pondrá algo rosado —dijo Kristen—. A ti te encanta el rosado, Julieta. Puedo apostar que tendrás una casa rosada cuando crezcas, un carro rosado y quizás también un perro rosado.

Kristen tenía el cabello rizado y rubio. Siempre hacia reír a Julieta.

—Sí, me pondré un vestido rosado —dijo Julieta—. Y me muero de ganas de ponérmelo.

—¡Desearía que tu fiesta fuera mañana! —dijo Kristen soltando un suspiro.

—Yo también —dijo Olivia—. ¿Qué haremos en la fiesta? ¿Habrá juegos como el año pasado?

Julieta asintió.

—Y también manualidades. Vamos a hacer coronas de princesa —dijo.

—Aaaahhh… —dijeron las chicas al mismo tiempo.

—¿Cómo podremos esperar dos semanas enteras? —preguntó Hannah.

Julieta estaba más emocionada ahora que cuando recibió la corona. También se moría de ganas de que llegara el día de su fiesta.

Y, de repente, se le ocurrió una idea y se levantó de la mesa.

—¡Tengo un decreto real! —dijo—. De ahora en adelante, todos los días van a ser Días de Princesas. Mañana, todas las princesas se vestirán de rosado para venir a la escuela.

Las chicas se echaron a reír.

—¿Qué es un decreto? —preguntó Hannah.

—Es una orden —respondió Olivia.

—Suena divertido —dijo Hannah.

Todas las chicas acordaron que se vestirían de rosado. Julieta sonreía de felicidad.

Al día siguiente, las princesas dominarían en la cafetería y, muy pronto, dominarían en toda la escuela.

Capítulo cuatro

Diez princesas rosadas

Esa noche, mientras cenaban, Julieta les contó a sus padres sobre el plan de las princesas.

—Entonces, ¿todas las chicas se vestirán de rosado mañana? —preguntó su mamá.

—Sí —contestó Julieta—. Todas.

—¿Y qué pasa si a alguna de ellas no le gusta el rosado? —preguntó la Sra. Henry—. Mi color favorito es el azul.

—A todas les gusta el rosado —dijo Julieta, aunque no estaba totalmente segura—. ¿A quién no le gusta el rosado?

—Me imagino que lo sabrás mañana

—dijo el papá de Julieta—. Sé que tú te vestirás de rosado. Tienes mucha ropa rosada, tanta que podrías vestirte de rosado todos los días.

Al día siguiente, los niños entraron en fila a la clase de la Sra. Masters. Se quitaron la chaqueta y Julieta sonrió. ¡Las diez chicas de su clase estaban vestidas de rosado!

Olivia llevaba una camisa rosada con corazones. Hannah llevaba una falda rosada y una camiseta blanca. Kristen llevaba unos pantalones rosados con lunares y unos lentes rosados. El resto de las chicas llevaba al menos una prenda rosada.

Julieta era la que más ropa rosada llevaba puesta: camiseta y pantalones rosados. Sus medias y zapatos también eran rosados. Incluso llevaba un collar rosado en el cuello.

—¡Las princesas rosadas están aquí! —gritó Julieta.

Billy Walker se tapó los ojos con las manos

y cayó de rodillas.

—¡Socorro! Me quedaré ciego de tanto rosado —gritó.

Los otros chicos se echaron a reír y también se taparon los ojos con las manos, ¡hasta Jonathan!

—¡Auxilio! ¡Socorro! —gritaban los chicos—. ¡Demasiado rosado!

Julieta se puso las manos en las caderas.

—A mí también me duelen los ojos de solo ver esa camisa azul que llevas puesta, Billy —dijo Julieta.

La Sra. Masters se acercó a ellos.

—Por favor, tranquilícense —dijo—. Hay muchos colores en el mundo. Ninguno es mejor que otro.

—Todos menos el rosado —refunfuñó Billy.

—Ya es suficiente, Billy —dijo la Sra. Masters—. A sentarse, por favor.

Julieta se moría de ganas de que llegara la hora del almuerzo. A esa hora, las princesas rosadas dominarían en la cafetería. Y eso fue en lo único que pudo pensar en toda la mañana.

Finalmente, llegó la hora esperada. Julieta fue la primera en la fila de la cafetería. No había traído su almuerzo porque hoy iban a servir su plato favorito: macarrones con queso. También tomó un cartón de leche y ensalada.

En pocos minutos, las diez princesas estuvieron sentadas a la mesa.

—¡Que empiece el almuerzo de las princesas! —dijo Julieta emocionada.

—¿Qué vamos a hacer? —preguntó Hannah.

Julieta no había pensado en eso. Vestirse de rosado era todo lo que había planeado.

—Pues vamos a comer nuestro almuerzo de princesa —dijo subiendo los hombros.

Kristen metió su tenedor en los macarrones con queso.

—¡Ummmm… macarrones de princesa! —dijo.

Hannah hizo una mueca.

—¡Las princesas no comen macarrones con queso! —dijo.

—¡Claro que sí! —dijo Julieta —. ¡Son deliciosos y las princesas comen cosas deliciosas!

Hannah negó con la cabeza.

—Las princesas comen pasteles pequeños y pétalos de rosas —dijo.

Las otras chicas comenzaron a murmurar al otro lado de la mesa.

—Creo que eso es lo que comen las hadas —dijo Jin.

—Pero quizás las princesas también coman esas cosas —agregó Malia.

A Julieta no le gustaba lo que estaba pasando. Las chicas debían actuar como princesas, pero lo que hacían era hablar de los macarrones con queso.

Y entonces habló Olivia.

—Podemos imaginarnos —dijo señalando a su plato—, que los macarrones con queso están hechos de oro y que la ensalada está hecha de pétalos de rosas.

Julieta se sintió feliz de que Olivia fuera su mejor amiga porque siempre tenía buenas ideas.

Julieta levantó su cartón de leche.

—Y ésta es una copa llena de agua de la fuente mágica —agregó.

Kristen tomó un sorbo de leche.

—Ummm... y tiene un sabor mágico —dijo.

Las chicas reían. Julieta estaba feliz. Todas empezaron a actuar como princesas.

—¿Vas al baile de las princesas mañana en la noche? —le preguntó Jin a Malia con voz de princesa.

—Sí —dijo Malia—. ¡Pero no tengo nada que ponerme! Espero que mi hada madrina me traiga un vestido.

Imaginarse que eran princesas era divertido, pero a Julieta se le ocurrió otra idea que anunció cuando todas terminaron comer.

—Tengo otro decreto real —dijo Julieta—. Mañana nos volveremos a vestir de rosado y también ¡vamos a traer comida rosada!

Jin y Malia cuchichearon entre ellas.

—¿Dónde vamos a conseguir comida rosada? —preguntó Jin.

—Hay mucha comida rosada —dijo Julieta—. Yo como comida rosada todo el tiempo: yogurt de fresa, emparedado con mermelada de fresas y leche de fresa.

—Las fresas son rosadas —agregó Kristen.

—Las fambruesas también son rosadas —dijo Olivia.

—¿Ya ven? —dijo Julieta—. Es fácil conseguir comida rosada.

Julieta ya se moría de ganas de que llegara el día siguiente. Iba a ser el mejor Día de Princesas.

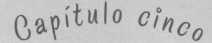

Capítulo cinco

Los piratas atacan a las princesas

Julieta bajó saltando del autobús y corrió hacia su casa. Su papá ya había llegado y estaba preparando la cena.

—¡Papá, papá! ¿Podemos preparar galletas rosadas esta noche? —preguntó Julieta.

—¡Cálmate, mi princesa! —dijo su papá mientras la ayudaba a quitarse la mochila—. Claro que podemos hacer galletas. ¿Es para una venta de dulces?

—No —dijo Julieta—. Todas las chicas van a llevar comida rosada para el almuerzo. También necesito un emparedado rosado y leche rosada.

—Ummm... déjame adivinar —dijo el Sr. Henry—. Fue idea tuya, ¿cierto?

—¡Claro! —dijo Julieta con una gran sonrisa.

Su papá negó con la cabeza.

—Vamos a tener que llamarte la princesa Rosada de ahora en adelante.

La princesa Rosada. A Julieta le gustó como sonaba.

El Sr. Henry se dirigió a la cocina y tomó en sus manos una pila de papel rosado.

—Compré el papel para las invitaciones de tu fiesta —dijo—. ¿Estás segura de que no quieres invitar a los chicos? Tenemos espacio para ellos. Pensé que todos se divirtieron mucho el año pasado.

Julieta negó con la cabeza.

—Los chicos lo echarían todo a perder.

A ellos ni siquiera les gusta el rosado. Billy dice que le hace daño a los ojos —dijo.

El papá de Julieta rió.

—Es tu fiesta —dijo encogiéndose de hombros—. Tu mamá y yo te vamos a ayudar con las invitaciones.

—¡Gracias, papá! —dijo Julieta.

Julieta subió a su cuarto. La princesa Allissa descansaba en la cama de su castillo plástico.

—Ya verás, Allissa —dijo Julieta—. Mañana, ¡las princesas rosadas van a mandar en la escuela!

Al día siguiente, Julieta llevó su almuerzo rosado a la escuela. También llevaba puesto un vestido rosado. Y, por supuesto, no faltaron las galletas rosadas que ella y su papá hornearon.

En el autobús, Julieta se sentó al lado de Olivia. Detrás de ellas, Billy y Jonathan no paraban de reír.

Julieta se volteó.

—¿De qué se
ríen? —preguntó.

—De nada —di-
jo Billy—. Ya verás.

Billy y los otros
chicos estuvieron
muy extraños toda la
mañana. No se burlaron del color rosado
ni se rieron de la corona de Julieta. Todo lo
que hacían era cuchichear entre ellos. Se la
pasaron señalando a las niñas y riéndose
cuando la Sra. Masters no los estaba viendo.
Julieta estaba un poco preocupada. ¿Qué
se traían entre manos?

Finalmente, llegó la hora del almuerzo y
Julieta se olvidó de los chicos. ¡Muy pronto
comenzaría el almuerzo de las princesas!

Al llegar a la cafetería, todas las
princesas se acomodaron en una mesa.

—Ahora sí, princesas —dijo Julieta—,

muestren su comida rosada de princesa.

Olivia fue la primera.

—Yo traje yogurt rosado —dijo.

—Yo también —dijo Hannah.

Kristen trajo una magdalena cubierta de merengue rosado. Jin y Malia trajeron papas fritas rosadas que sabían a camarones. Emily y Taylor trajeron leche de fresa. Elena y Sandra trajeron fresas.

Julieta estaba muy orgullosa del almuerzo rosado. Empezó a sacar las cosas que llevaba en su lonchera, una por una.

—Traje un emparedado de queso crema y mermelada de fresa con forma de corazón —dijo Julieta—. También traje yogurt rosado y leche rosada.

Luego, hizo una pausa para dejar lo mejor para el final.

—Ahora, prepárense para una delicia real: ¡galletas rosadas para todas!.

Julieta abrió la bolsa de las galletas

rosadas y sacó una con forma de estrella. Tenía un glaseado rosado y confites brillantes rosados.

—¡Increíble! —dijeron las chicas.

—Tengo otro decreto real —dijo Julieta sonriendo—. ¡Vamos a comer!

Julieta le dio un mordisco a su emparedado. Luego, escuchó una voz que no era la de una adorable princesa.

—¡Entréganos tu tesoro! —dijo Billy.

Billy y los otros chicos habían rodeado la mesa. Billy llevaba un parche en el ojo, como si fuera un pirata. Los otros chicos también llevaban parches. Jonathan tenía un pañuelo en la cabeza.

—¡Somos piratas! —dijo Billy—. ¡Y los piratas roban a las princesas, así que dennos su tesoro! ¡Al ataque!

—¡Al ataque! —gritaron todos los chicos.

Julieta se paró enojada y puso las manos

en las caderas.

—¡No te daremos ningún tesoro, Billy! —gritó Julieta—. Estamos jugando a ser princesas, no piratas. ¡Así que déjanos tranquilas!

—Ah, ¿sí? —dijo Billy, y estiró el brazo para agarrar la bolsa de galletas.

Julieta trató de quitársela de las manos, pero Billy fue más rápido. El chico se quedó con la bolsa y se la llevó a su mesa. Julieta vio cómo Billy sacaba una galleta y se la metía en la boca.

—¡Al ataque! —gritó Billy con la boca llena.

Los otros chicos vitorearon y también comenzaron a comer galletas.

—¡Sra. Linda! —gritó Julieta tan alto como pudo llamando a la encargada de la cafetería.

Pero Hannah ya había ido a buscarla.

—¿Qué sucede? —preguntó la encargada de la cafetería.

—Los chicos se robaron nuestras galletas —dijo Julieta mirando directamente a Billy.

La Sra. Linda negó con la cabeza.

—Yo me encargo de esto —dijo.

La Sra. Linda habló con los chicos por un minuto. Luego, ella y Billy se acercaron a la mesa de las chicas. Billy ya no llevaba puesto el parche en el ojo.

—Billy tiene algo que decirte —dijo la Sra. Linda.

—Perdón por haberte quitado las galletas —dijo muy bajito mirando el suelo.

La Sra. Linda le devolvió la bolsa a Julieta. La bolsa estaba casi vacía. Julieta la abrió y por poco se desmaya. ¡Se habían comido las hermosas galletas! Solo quedaban algunas migajas.

Julieta sintió ganas de llorar. ¡El almuerzo de las princesas estaba arruinado!

Capítulo seis

Prohibidos los disfraces

Julieta estaba muy enojada cuando regresó a la clase. Un rato más tarde, su mal humor empeoró.

La Sra. Masters se había enterado de lo sucedido en el almuerzo.

—La imaginación es algo bueno —dijo—. Pero el juego que han iniciado está haciendo que los chicos y las chicas de esta clase se peleen, y eso no es bueno.

—¡Pero las chicas no estábamos peleando! —dijo Julieta—. Solo estábamos

jugando. Los chicos empezaron la pelea.

—Nosotros no comenzamos nada —gritó Billy—. Tú comenzaste cuando trajiste tu corona.

—¡No es verdad! —gritó Julieta.

—Pienso que la solución es muy fácil —dijo la Sra. Masters mientras levantaba la mano para que hicieran silencio—. Los disfraces son muy divertidos, pero no pertenecen a la escuela. Necesitamos una nueva regla: se prohíbe traer disfraces a la clase. Y esto incluye parches de piratas y coronas de princesas.

Julieta se llevó una mano a la corona.

—Pero no es un disfraz. Es un accesorio de moda —dijo Julieta.

Sentía que los ojos le ardían de rabia. Quería llorar, pero no quería hacerlo en frente de la clase.

—Lo siento, Julieta —dijo la Sra. Masters—. De ahora en adelante, tendrás que dejar la corona en tu casa.

Julieta se quitó la corona lentamente y la colocó en el compartimento de su pupitre. Luego, levantó la mano para pedir la palabra.

—¿Esto quiere decir que no podré vestirme de rosado nunca más?

La Sra. Masters sonrió.

—Te puedes vestir de cualquier color que desees —dijo.

Julieta se sintió un poco mejor. Aunque no podría ponerse la corona, sí podía imaginar que era una princesa que no llevaba su corona puesta.

El resto del día, los niños y las niñas estuvieron tranquilos y nadie se metió en problemas.

Esa tarde en el autobús, Julieta escribió una nota:

Todas de rosado mañana. Traigan comida rosada.

¡Las princesas rosadas no se rendirán!

Dobló el papel y escribió con un bolígrafo rosado: Solo para chicas. Pásala.

Olivia parecía nerviosa.

—Pensé que no podríamos jugar a ser princesas nunca más —dijo.

—La Sra. Masters dijo que no podíamos usar disfraces —dijo Julieta—. Pero todavía podemos vestirnos de rosado. Eso fue lo que dijo. Y no dijo nada sobre la comida.

Olivia se quedó pensativa. Julieta le dio la nota a Jin y a Malia. Cuando les pasaba el papel, Billy le tocó el hombro.

—¿Qué quieres? —preguntó Julieta. No tenía ningunas ganas de hablar con él.

—Te dije que tu corona era un disfraz —dijo Billy—. ¡Ja! Yo tenía razón.

Julieta se molestó.

No era justo. Billy y los chicos disfrazados de piratas fueron los que comenzaron la pelea. ¿Acaso la Sra. Masters no sabía que los piratas eran malos y que las princesas eran buenas? Eso es lo que pasa en todos los cuentos. Las princesas nunca se meten en problema, pero los piratas sí.

Julieta estaba segura de que había sido una excelente decisión no invitar a los chicos a su fiesta. No se lo merecían. De hecho, deseaba no tener que hablar con ellos por el resto de su vida.

Capítulo siete

¿Qué pasará con el rosado?

Cuando Julieta llegó a casa, entró por la puerta dando pisotones.

—¿Tuviste un mal día? —preguntó su papá.

—Tuve un día *muy malo* —dijo Julieta—. Los piratas nos atacaron y ahora no puedo llevar mi corona a la escuela, aunque las chicas somos inocentes.

—Cálmate —dijo el Sr. Henry mientras ponía un vaso con leche en la mesa para Julieta—. Siéntate y cuéntame todo desde el principio.

Julieta le contó a su papá sobre Billy y los piratas, y repitió lo que la Sra. Masters había dicho.

—¡No es justo! —dijo Julieta haciendo un puchero.

—¿Sabes qué? —dijo su papá—. Esta noche voy a hornear más galletas rosadas. ¿Qué te parece?

Julieta asintió con la cabeza.

—Pero ¿qué va a pasar con mi corona? A lo mejor le puedes escribir una nota a la Sra. Masters para que me deje usarla —dijo Julieta.

—Creo que tu maestra tiene razón —dijo su papá—. La escuela no es el mejor lugar para llevar tu corona. Te la puedes poner en la casa, cada vez que quieras, y en tu fiesta, por supuesto.

Julieta hizo una mueca.

—Le preguntaré a mamá cuando regrese —dijo.

—Tu mamá piensa lo mismo —dijo el Sr. Henry—. Lo siento, Princesa.

Julieta sabía que su papá tenía razón, pero seguía enojada. No quería dar su brazo a torcer.

Cuando su mamá llegó a casa, Julieta le contó toda la historia.

—Como ves, no fue justo —dijo Julieta al terminar el cuento—. Debería dejarme usar mi corona.

—Pienso que la Sra. Masters tiene razón —dijo su mamá—. La escuela no es un buen lugar para usar una corona.

—¡Eso fue lo que dijo papá! —dijo Julieta.

Sacó la corona de su mochila y subió a su cuarto molesta. Puso la corona en su tocador, al lado de la princesa Allissa.

—Princesa Allissa, tendrás que proteger mi corona mientras estoy en la escuela —dijo—. Los piratas malvados podrían robarla. Cuídala.

—Los piratas son malos y huelen mal. Si algún pirata se acerca por aquí, lo castigaré —respondió la princesa Allissa.

Julieta tomó su
rana de peluche.

—Además, ¿a
quién le gusta jugar
con piratas? Son muy
aburridos —dijo la
rana.

—Tienes razón,
rana —dijo Julieta—. ¡Todo el mundo
sabe que jugar a ser princesa es mucho más
divertido!

Al día siguiente, Julieta seguía molesta.
Se puso una falda y una camisa rosadas y
sus zapatos rosados. La corona seguía en su
tocador.

—Siento mucho que no pueda llevarte
—dijo, y luego salió de su habitación.

En cuanto la vio su papá le dio una caja
blanca con un lazo rosado.

—Más galletas —dijo—. ¿Ves? He
preparado una caja a prueba de piratas.

Julieta abrazó a su papá y se sintió un poco
mejor porque ¡sus amigas y ella podrían tener

otro almuerzo de princesas!

—Gracias —dijo.

Julieta corrió hasta el autobús. Subió y se sentó al lado de Olivia. Billy y Jonathan estaban sentados muy tranquilos detrás de ellas.

—¡Mira! —le dijo a Olivia—. Traje más galletas. Hoy podremos tener otro almuerzo de princesas.

—¡Qué bueno! —dijo Olivia—. Tu papá hace las mejores galletas.

Olivia llevaba puesta una camiseta de fútbol verde, una sudadera azul, unos vaqueros y tenis blancos.

Julieta la miró asombrada.

—¿Por qué no estás vestida de rosado? —dijo.

—Porque no —contestó Olivia.

—Pero, ¿acaso no leíste la nota? —dijo Julieta—. Teníamos que vestirnos de rosado hoy para jugar a las princesas en el almuerzo.

—Me gusta jugar a las princesas —dijo Olivia—. Pero ¿me tengo que vestir siempre de rosado? El amarillo es mi color favorito.

Julieta se volvió a enojar.

—Te estas poniendo del lado de los chicos —dijo.

—No es cierto —dijo Olivia.

Julieta cruzó los brazos y no le habló a Olivia el resto del camino.

¿Cómo podían jugar a ser princesas si no iban de rosado?

Capítulo ocho

El trueque

A la hora del almuerzo, Olivia se sentó a un extremo de la mesa, junto a Jin y Malia.

—¿Jugamos a las princesas o no? —preguntó Ana, que llevaba un vestido con adornos rosados.

—No tengo ganas —dijo Julieta.

—¿Qué tienes en la caja? —preguntó Kristen.

—Galletas rosadas —respondió Julieta—. Toma algunas si quieres.

Hannah abrió mucho los ojos.

—¿Y qué pasa si los piratas se las vuelven a robar? —preguntó.

Kristen se rió.

—Espero que lo hagan. Fue muy divertido —dijo.

—No fue nada divertido —dijo Julieta muy molesta—. Y si alguno de los chicos intenta robarse estas galletas, se meterá en un gran problema.

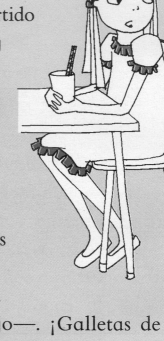

Julieta miró a Billy, que no quitaba los ojos de su plato.

Luego abrió la caja.

—Aquí están —dijo—. ¡Galletas de princesa para todo el mundo!

Julieta se comió el emparedado que le había preparado su papá y bebió un poco de su leche de fresa.

Después de unos minutos, Jonathan se acercó a la mesa. Julieta puso la leche de fresa en la mesa y tomó la caja de galletas.

—Si das otro paso —dijo, sujetando bien la caja de galletas—, se lo diré a la Sra. Linda.

—No quiero robarte las galletas —dijo Jonathan, que llevaba en las manos una bolsa de papitas fritas—. Solo quiero que hagamos un trueque.

Julieta no supo qué pensar.

—¿Un trueque? ¿Por qué? —preguntó ella.

—Esas galletas son deliciosas —dijo Jonathan—. No quisimos robárselas. Solo estábamos jugando.

Julieta no soltaba la caja de galletas.

—¿Estás seguro de que quieres una galleta *rosada*? —preguntó.

Jonathan se encogió de hombros.

—El rosado está bien. A mí me gusta el rosado.

Julieta no podía creer que a un chico le gustara el rosado.

—Y entonces, ¿por qué se burlaron del rosado? —preguntó Julieta.

Jonathan volvió a subir los hombros.

—No sé —dijo—. Creo que Billy está molesto contigo.

—¿Por qué? —preguntó Julieta.

—Porque no lo invitaste a tu fiesta de cumpleaños —dijo Jonathan—. La fiesta del año pasado fue muy divertida.

Julieta se acordó de su fiesta. Sus padres insistían en que debía invitar a los chicos, y quizás tenían razón.

Julieta le dio una galleta a Jonathan y él le dio la bolsa de papas fritas.

—Gracias —dijo Jonathan.

Julieta le sonrió. Ahora se moría de ganas de llegar a su casa. Se le había ocurrido ¡una *gran* idea!

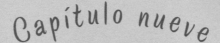

Capítulo nueve

Coronas y dragones

Primero, Julieta tenía algo muy importante que hacer. De regreso a casa en el autobús, se sentó junto a Olivia. Su amiga parecía un poco molesta.

—Lo siento —dijo Julieta—. Sé que no estabas del lado de los chicos.

—No, no lo estaba —dijo Olivia tranquilamente.

—Lo sé —repitió Julieta—. Y no tienes que llevar rosado todos los días para jugar a ser princesa.

—Me alegro —dijo Olivia—. Me gusta jugar a ser princesa.

Julieta y Olivia siguieron hablando por el camino, como de costumbre. Luego, el autobús se detuvo en la casa de Julieta.

—Adiós —dijo Julieta, y luego susurró—: Tengo una sorpresa para mañana. Es sobre la fiesta.

Olivia abrió los ojos muerta de curiosidad, pero Julieta se despidió y salió corriendo del autobús.

Julieta mantuvo su idea en secreto hasta la hora de la cena. Esperó hasta que su papá sirviera la comida y luego se paró.

—Mamá y papá —dijo—, tengo un decreto real. Quiero invitar a los chicos a mi fiesta.

Sus padres se miraron.

—Es una excelente idea, Julieta —dijo su mamá—. ¿Qué te hizo cambiar de parecer?

Julieta se sentó.

—No lo sé —dijo.

Era un poco difícil de explicar. Ella no quería que los chicos estuvieran molestos con ella. Además, Jonathan tenía razón, la fiesta del año anterior había sido muy divertida. Jonathan fue el mejor en el juego de corre que te pillo y Billy ganó un premio en la competencia de baile. Ellos habían animado la fiesta.

—Pero tengo un problema —continuó Julieta—. Todavía quiero una fiesta rosada de princesa, pero no a todas las chicas les gusta el rosado ni a los chicos les gusta jugar a las princesas.

Su papá asintió asombrado.

—Comprendo —dijo—. Tenemos que hacer que la fiesta sea divertida para todos.

—Quiero una fiesta de princesa, pero no sé qué hacer —dijo Julieta.

—Podemos mirar tus cuentos de

princesas —dijo su mamá—. Estoy segura
de que podremos sacar algunas ideas.

Y eso fue lo que hicieron después de
cenar. Julieta y su mamá se sentaron en
la mesa de la cocina y leyeron sus libros
favoritos de princesas.

El primero era un libro de cuentos de
hadas con muchas ilustraciones grandes
y coloridas. El primer dibujo era de un
castillo.

—Me gustan los castillos —dijo Julieta—. Las princesas viven en los castillos y los príncipes también.

—Y los reyes y los caballeros —añadió su mamá, y escribió la palabra "castillo" en un papel.

También encontraron otras ilustraciones muy buenas de caballeros con espadas y la de un gran dragón verde. La que más le gustó a Julieta fue la del dragón.

—¡Ya sé! —dijo Julieta de repente—. Podemos poner una corona en las invitaciones para las chicas y un dragón en las de los chicos.

—Me parece muy bien —dijo su mamá—. ¡Manos a la obra!

Julieta tomó un papel rosado y recortó nueve coronas. Luego recortó una corona en un papel amarillo. Pegó una corona en cada tarjeta y usó una pluma de brillo para adornarlas. ¡Quedaron preciosas!

—¡Que lindas! —dijo la Sra. Henry—.
¿Para quién es la corona amarilla?

—Esa es para Olivia —dijo Julieta—.
Su color favorito es el amarillo.

La Sra. Henry buscó el dibujo de un
dragón en la computadora. Imprimió diez
dragones y los recortó. Luego Julieta pegó
uno en cada tarjeta.

Cuando terminaron, Julieta abrió una
de las invitaciones y leyó lo que decía:

¡Julieta cumple siete años!
¡Estás invitado a su Fiesta de
Princesa Rosada!

—¿Contenta? —preguntó su mamá.

—Muy contenta —dijo Julieta—. Los dragones se ven bien, pero ¿crees que los chicos querrán venir a una Fiesta de Princesa Rosada?

—Creo que sí —dijo su mamá—. Espera y verás.

Julieta puso las tarjetas en los sobres y escribió un nombre en cada uno. Dejó la de Billy para el final.

¿Vendría Billy? ¿Estaría molesto con ella para siempre? ¿Se vestiría de pirata y trataría de robarle el pastel de cumpleaños?

Solo había una forma de averiguarlo. Así que Julieta escribió el nombre de Billy en el sobre.

Su fiesta sería en una semana. ¿Cómo podría esperar tanto tiempo?

Capítulo diez

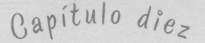

La fiesta de Princesa Perfecta

—¡Feliz cumpleaños, Julieta! —gritaron su mamá y su papá.

Julieta corrió a la cocina. La mesa estaba cubierta con un mantel rosado y había un florero en el centro con flores rosadas.

—¡Buenos días, Princesa! —dijo su papá. Luego puso un plato frente a Julieta—. Aquí tienes, siete panqueques rosados para mi niña de siete años.

—¡Gracias! —dijo Julieta con una gran sonrisa.

Julieta le añadió fresas a los panqueques

63

y se los comió todos.

Después del desayuno, Julieta ayudó en la preparación de la fiesta. Su mamá puso globos rosados en la baranda de la terraza de atrás de la casa. Pusieron una mesa para manualidades. Había cartón, tijeras, gemas de juguete y pegamento para hacer las coronas. También había tubos de cartón y papel aluminio para hacer las espadas.

El papá de Julieta puso el pastel en otra mesa. ¡El pastel parecía un castillo! Tenía unas torres altas y una muralla alrededor. Estaba cubierto de merengue y confites rosados que parecían joyas.

—¡Qué pastel tan hermoso! —dijo Julieta—. ¿Crees que a los chicos les gustará?

—Claro que les va a gustar —dijo su papá—. Además, no toda la comida es rosada. Ven y mira.

Julieta siguió a su papá hasta la cocina. El Sr. Henry agarró un plato con un perro caliente. No era un perro caliente normal y corriente, ¡tenía forma de dragón!

—¡Increíble! —dijo Julieta—. ¿Cómo lo hiciste?

—Usé cosas diferentes para los ojos, los pies, la cresta de púas y la cola —dijo—. ¿Ves? Los ojos son aceitunas.

—¡Genial! —gritó Julieta, cada vez más emocionada.

—Tengo que preparar más —dijo el Sr. Henry—. La fiesta comenzará muy pronto.

Julieta miró el reloj.

—¡Ya falta muy poco! ¿Qué pasará si los perros calientes se convierten en calabazas antes de comenzar la fiesta?

—No te preocupes, Cenicienta —dijo su papá riéndose—. No preparé todas estas cosas con una varita mágica.

Mientras esperaba, Julieta se puso su vestido rosado para la fiesta. La falda era rosada y abombada. Y para el toque final, se puso la corona en la cabeza.

Luego sonrió y tomó a la princesa Allissa.

—¡Somos unas princesas muy bellas, Allissa! —dijo.

Por un segundo, a Julieta le pareció que la princesa Allissa le sonrió.

En ese momento, sonó el timbre. Julieta bajó las escaleras corriendo para abrir la puerta. ¡La fiesta estaba a punto de comenzar!

Billy y Jonathan fueron los primeros en llegar. Billy le entregó a Julieta un regalo envuelto en papel rosado.

—¡Feliz cumpleaños! —dijo Billy.

—¡Gracias! —dijo Julieta—. Me gusta el

papel de regalo, pero pensé que no te gustaba el rosado.

Billy sacó unos lentes de sol de su bolsillo y se los puso.

—Traje esto para protegerme del rosado si empieza a molestarme —dijo.

Julieta se rió. Ella sabía que Billy estaba bromeando.

—Entren —dijo Julieta.

El timbre no paraba de sonar. Todas las chicas y los chicos de la clase de la Sra. Masters vinieron a la fiesta.

Comieron perros calientes con forma de dragón y emparedados rosados. Hicieron coronas y espadas. Olivia hizo una corona amarilla y Billy, una corona roja. Cuando terminó, Billy dio saltos de alegría.

—¡Saluden al rey Billy! —gritó.

Olivia y Kristen hicieron espadas y pelearon con ellas.

Luego, todos jugaron a corre que te pillo. Ya casi al final, la mamá de Julieta puso música y los chicos se pusieron a bailar. A la hora de cortar el pastel, todos cantaron "Feliz cumpleaños". Julieta apagó las velas y pidió un deseo en secreto:

"Deseo que todos los días sean Días de Princesas".

Los padres de Julieta la abrazaron antes de cortar el pastel.

—¿Estás contenta de haber invitado a los chicos? —preguntó muy bajito su mamá.

—¡Claro! —dijo Julieta—. No se puede tener una fiesta de princesa *sin* chicos.

Todos se estaban divirtiendo, y entonces Julieta se paró en una silla.

—¡Tengo un decreto real! —dijo casi gritando.

Los chicos guardaron silencio.

—Acaba de decirlo —gritó Billy.

—¡Gracias por venir a mi Fiesta de Princesa Rosada! —dijo Julieta con una sonrisa.

¡Hazlo tú misma!
♡ Comida de princesa ♡

Puedes hacer los siguientes dulces aunque no celebres una fiesta de princesa. Al igual que Julieta, puedes imaginar que esta comida ha salido de un cuento de hadas y que cualquier día es un ¡Día de Princesas!

Emparedado rosado de princesa

Nivel de dificultad: medio
(Necesitarás la ayuda de un adulto).

Necesitas:
- 2 lonjas de pan
- queso crema batido
- mermelada de fresa o frambuesa
- cuchillo plástico
- molde grande para galletas en forma de corazón

1. Usa un molde en forma de corazón para cortar las lonjas de pan (si no tienes uno, un adulto podrá cortar el pan con un cuchillo).

2. Unta queso crema en uno de los panes con forma de corazón. Pon la mermelada en otro. Une los dos panes de manera que el queso crema y la mermelada queden en el centro. ¡Ahora tienes el emparedado de princesa perfecto! Con otras dos lonjas de pan, puedes preparar un emparedado para una amiga.

Perro caliente de dragón

Nivel de dificultad: alto
(Un adulto <u>dcbe</u> ayudarte).

Necesitas:
- 1 perro caliente
- 1 pimiento verde
- 1 pimiento rojo
- aceitunas pequeñas rellenas con pimientos
- 1 queso en lata (el que sale al presionar el envase)
- 1 cebollino
- 1 cuchillo afilado
- 1 tabla para cortar

1. Pídele a un adulto que cocine el perro caliente en agua hirviendo.

2. Mientras se cocina el perro caliente, pídele a un adulto que corte los vegetales.

♡ Corta el pimiento verde a lo largo, por la mitad, y luego corta el pimiento en seis triángulos pequeños. Los triángulos serán las patas y la cresta de púas del dragón.

♡ Corta el pimiento rojo a lo largo, por la mitad. Corta un rectángulo grande y delgado que no tenga más de 1/4 de pulgada de ancho. Haz un corte en forma de V en un extremo para que se parezca a la lengua del dragón.

♥ Corta una aceituna a la mitad. Cada círculo será verde por fuera y rojo por dentro. Las aceitunas serán los ojos del dragón.

♥ Corta y haz a un lado la parte blanca del cebollino. La parte verde deberá tener 4 pulgadas de largo. Pasa el cuchillo por la parte verde hasta que quede ondulada. Esta será la cola del dragón.

♥ Una vez que el perro caliente esté tibio, pídele a un adulto que haga cuatro cortes verticales alineados, de media pulgada, en la parte superior del perro caliente. Haz dos cortes horizontales a cada lado del perro caliente y dos cortes horizontales en cada extremo del perro caliente.

3. Y ahora, la mejor parte: ¡es hora de armar el dragón!. Esto lo puedes hacer tú sola. Comienza poniendo los triángulos de pimiento verde en los cortes que están a los lados del perro caliente. Esas serán las patas del dragón. Luego, pon un triángulo de pimiento verde en cada uno de los cortes realizados en la parte superior del perro caliente. Esas serán las púas de la cresta del dragón.

4. Coloca la parte verde del cebollino en uno de los extremos del perro caliente, para hacer la cola.

5. Para la cara, introduce el pedazo de pimiento rojo en el otro extremo del perro caliente. Esa será la lengua. Luego, colócale los ojos. Usa el queso para pegar las aceitunas un poco más arriba de la lengua.

No te pierdas otra aventura
fantástica de esta serie

La princesa
Morada
gana el
premio

*Pasa la página para que leas un
adelanto del próximo libro*

—¡Había una vez una princesa llamada Cristal —leyó Isabel Dawson en voz alta—. Cristal vivía en un hermoso castillo.

Isabel miró el dibujo del castillo en su libro. Era de piedra y tenía muchas torres. La princesa Cristal estaba asomada a una ventana.

—Es un hermoso castillo —dijo Isabel—. Pero es una lástima que esa princesa no tenga un castillo *morado* como el mío.

Isabel le echó un vistazo a su propio castillo y sonrió. Estaba justo en la parte inferior de su litera. Ella tenía todo un cuarto para ella, así que solo necesitaba una cama. Como dormía en la cama de arriba de la litera, su papá había retirado el colchón de la cama de abajo y su mamá había colocado una cortina para cubrir ese espacio. Luego, Isabel lo había llenado con todas aquellas cosas que se necesitaban en un castillo.

Había cómodas almohadas moradas en el piso, un estante con los libros favoritos de Isabel y, encima del mismo, una colección de princesas que ella misma había dispuesto cuidadosamente. La mayoría de las princesas llevaba un vestido morado porque ese era el color favorito de Isabel.

Para el toque final, su papá había puesto una lámpara en la pared para que Isabel pudiera leer dentro de su castillo. A ella le encantaba leer, en especial, libros de princesas. Las princesas siempre usaban vestidos bonitos, tenían aventuras mágicas y vivían felices para siempre.

Los hermanos mayores de Isabel, Alex y Marco, pensaban que ella era un poco rara porque le encantaba leer. A ellos les divertía molestarla.

—¡Isa es un cerebrito! —decían sus hermanos—. ¡Isa tiza!

A Isabel no le importaba que la llamaran cerebrito, pero le molestaba que la llamaran Isa. No podía imaginarse a una princesa llamada así.

Dentro de su castillo, Isabel se sentía protegida porque nadie la llamaba Isa.

¡*Toc, toc, toc!*

Alguien tocó la puerta del cuarto de Isabel.

—Vete de aquí —gritó Isabel.

—Pero tengo una pregunta —dijo Alex.

—Estoy ocupada —gritó Isabel.

La niña escuchó que abrían la puerta.

—Entonces tendré que destruir el castillo —gritó Alex.

El chico abrió la cortina morada de repente.

—¡Ajá! Te encontré —dijo, y tomó a una de las princesas que estaba sobre el estante y salió corriendo—. ¡No podrás alcanzarme!

—Alex, devuélvemela —dijo Isabel mientras dejaba el libro a un lado y salía corriendo a perseguir a su hermano.

Sobre la autora

Alyssa Crowne es la autora de más de cien libros para niños. Desde muy pequeña quiso ser escritora. Sus historias favoritas siempre fueron cuentos de hadas sobre princesas. Cuando tenía cuatro años, se disfrazó de Blanca Nieves en Halloween.

Hoy en día, Alyssa vive en Hudson Valley, Nueva York, junto a su familia y sus mascotas. Todos los años se disfraza para asistir a la Feria Renacentista, un excelente lugar para conocer princesas, piratas y dragones.